疑問を拡大していけば仕組みが見

JN050463

ズーミング・旅客機

著者：チャーリィ古庄

協力：日本航空（JAL）

秀和システム

ズーミング! ってどういうこと?

ズーミング (Zooming) とは英語で、"拡大する" ことを意味します。小さな写真ではわかりにくいことも、大きく拡大すれば見えてくることがあります。本書ではこの手法を使って、乗り物や建造物などに対する疑問にズーミングして迫ることで、その仕組みや謎などを解き明かしていきます。

本書を制作するにあたり、以下を含め、航空関連の複数の雑誌や書籍、Webを参考にさせていただきました。深くお礼申し上げます。

23ページ図：ウェザーニュース
43ページ図：西日本新聞me

はじめに

「旅客機をズーミングしていき、その構造や仕組み、疑問などをお子さん向けにわかりやすく解説していく」というこの本の狙いを聞いたとき、「おもしろそうだな！」と単純に思い、引き受けさせていただきました。ところが構成を考えていくにつれ、私がパイロット資格を取得するときに飛行学校で学んだ航空工学が頭をかすめ、難しい定義や法則、計算をしないでどうやって解説したらいいのか、という悩みにぶち当たることになります。

ただそれは、企画をスタートし、日本航空の広報部の方々の協力を得て撮影と取材を進めていくうえで、なんとか解決することができました。難しい旅客機の理論をお子さん向けに解説するにはどうしたらいいかについては、日本航空の整備部の方々からお知恵をいただき、その結果、大人の方でもなかなか答えられない「旅客機は（重たいのに）どうして空を飛ぶことができるの?」「どうしてみんな同じ丸い形をしているの?」など、多くの方々の興味を引く楽しい本になったと思います。

昨今、航空業界の人員不足は深刻です。でもこの本を読んで、「ヒコーキっておもしろいな！夢があるな！」と感じていただき、将来、航空業界に進む若い方々が少しでも増えれば、と思っています。今後、AIの進歩により自動化が進み、人間が行う作業が減るのは間違いないでしょう。でも旅客機の整備をはじめ、AIや機械ではできない、人間が判断して作業をしなければならないことが、航空業界にはまだまだたくさんあるのです。

私はわりと貧しい家で育ちましたが、「空を飛んでみたい！」「旅客機ってカッコいい!」「いろいろなところに行ける！海外にも行ける！」という夢と憧れをもち、自分でお金を貯めてパイロットの資格を取りました。今では、休みの日には小型飛行機やヘリコプターを操縦して、空を自由に飛んでいます。そしてこれからは空飛ぶ車の時代になり、今よりももっと多くの方が空を自由に飛べるようになるでしょう。この本がそんな大空への夢の架け橋ときっかけの１つとなれば幸いです。

2023年12月　チャーリィ古庄

ズーミング！
旅客機
contents

はじめに ………………………… 3

第1章　空を飛ぶ仕組みにズーミング！　6

No.1 ● 旅客機はどうしてみんな同じ丸い形をしているの？ …… 8

No.2 ● 旅客機はどうして空を飛ぶことができるの？ …… 12

No.3 ● 旅客機はどうやったら右や左に曲がれるの？ …… 16

No.4 ● 旅客機の翼の先が曲がっているのはどうして？ …… 20

No.5 ● 離陸や着陸するときに翼の一部が激しく動くのはなぜ？ …… 24

No.6 ● パイロットは自動操縦の間なにもしていないの？ …… 28

No.7 ● 空を飛ぶための燃料はどこに入っているの？ …… 32

No.8 ● 旅客機の鼻のところにはなにが入っているの？ …… 36

第2章　機体の謎にズーミング！　　40

No.1 ● 座席の下はどうなっているの？ ──────── 42

No.2 ● 機内食はどこに入れられているの？ ──────── 46

No.3 ● たくさんのコンテナの中にはなにが入っているの？ ──────── 50

No.4 ● 旅客機の中が寒くも暑くもないのはどうして？ ──────── 54

No.5 ● モニターに映る映像はどうやって撮っているの？ ──────── 58

No.6 ● 旅客機にライトがたくさんついているのはなぜ？ ──────── 62

No.7 ● 空の上でしたウンチやオシッコはどうするの？ ──────── 68

第3章　装備や整備の疑問にズーミング！　　72

No.1 ● 旅客機のタイヤは自動車のタイヤとどう違うの？ ──────── 74

No.2 ● 旅客機に自動車のようなナンバープレートってあるの？ ──────── 78

No.3 ● 旅客機が汚れたらどうやってキレイにするの？ ──────── 82

No.4 ● エンジンが回っていない機内で電気がついているのはなぜ？ ──────── 86

No.5 ● 旅客機が到着するとなぜ多くの車が集まってくるの？ ──────── 90

第1章

空を飛ぶ仕組みにズーミング！

旅客機の翼の先が
曲がっているのはどうして？

20ページへ

離陸や着陸するときに翼の
一部が激しく動くのはなぜ？

24ページへ

旅客機はどうやったら
右や左に曲がれるの？

16ページへ

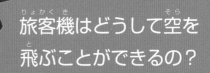

旅客機はどうして空を
飛ぶことができるの？

12ページへ

旅客機はどうしてみんな
同じ丸い形をしているの？

8ページへ

パイロットは自動操縦の間、
なにもしていないの？

28ページへ

旅客機の鼻のところには
なにが入っているの？

36ページへ

空を飛ぶための燃料は
どこに入っているの？

32ページへ

空を飛ぶ仕組みにズーミング！No.1

旅客機はどうしてみんな同じ丸い形をしているの？

Zooming

JAPAN AIRLINES

機内にたくさんの空気を入れたとき、均等に力がかかるようにするためです

空港で見かける旅客機の多くは、ヨーロッパの航空機メーカーであるエアバス社製のものか、アメリカの航空機メーカーであるボーイング社製のものです。製造する会社が異なれば形が変わってもおかしくありませんが、大きさや長さに違いはあるものの、どちらの機体も中央に翼があり、その下にエンジンがぶらさがっていて、ほぼ同じ形をしています。これはなぜでしょうか？

A350は正面から見ると胴体は少し縦長ですが、
ほぼ〇の形をしています

　旅客機の胴体を正面から見てみると、楕円や丸い形をしているのがわかります。旅客機は高度1万メートル（富士山の高さの約3倍）の高さを飛行することができますが、この高度は空気が薄いので、そのままでは乗客は酸素不足で気を失ってしまいます。そこで機内に空気をたくさん入れて、地上に近い空気の量にしようとします。これが与圧と言われるものです。ただ外は空気が薄いため、機体が三角や四角に近い形だと均等に力がかからず、最悪、穴が空いてしまいます。機体に均等に力をかけるためには、丸い形が最適なのです。

●図1-1　炭酸飲料入りペットボトルが丸い形になっているワケ

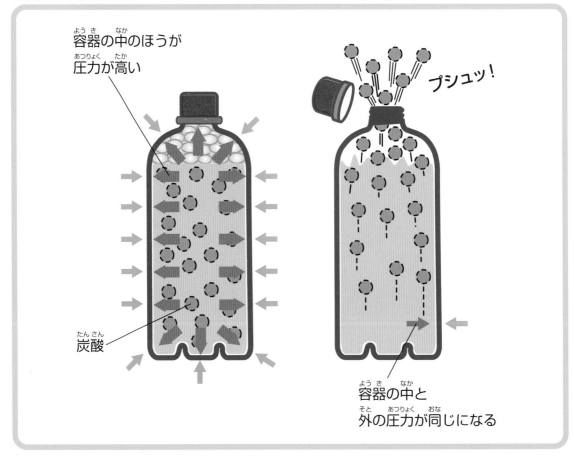

容器の中のほうが
圧力が高い

炭酸

プシュッ！

容器の中と
外の圧力が同じになる

　このことを身近なもので考えてみましょう。牛乳パックは四角い形の紙製が多いのに、炭酸飲料入りのペットボトルは丸い形のプラスチック製ですよね。炭酸飲料は容器の中の圧力が高くなるため、丸い形の容器でないと力の分散ができないのです。そして外より中の圧力が強いため、ペットボトルを開けるときに「プシュッ！」という音がします。この音はペットボトルの中と外の圧力が同じになったときにでる音です（図1-1）。

　形以外では**エンジン**の数もほぼ同じで、多くの機体が2基のエンジンを搭載しています。昔のエンジンは大きな力をだすことができず、さらにまたエンジンがたまに故障することがあったため、長距離を飛ぶ機体は3～4基のエンジンを搭載していました。広い海の上でエンジンが故障して止まってしまったら大変なことになりますからね。でも現在はエンジンの信頼性が格段に高まり、故障もめったに起こらないため、2基のエンジンだけでも十分になっています。万が一、片方のエンジンが故障しても、ある程度の時間は飛行を続けることができますので、最寄りの空港までたどり着くことができるのです。

エンジン
3基

2004年まで国内線と国際線の両方で飛んでいた、エンジンが3基あるMD11型機

エンジン
4基

2011年まで飛んでいたボーイング747型機はエンジンが4基あり、長距離国際線で活躍していました

エンジン
2基

Zooming

A350を含め、現在、日本航空の旅客機はすべてエンジンが2基。エンジンの信頼性もあがり、燃費もよく、整備もしやすいという理由からです

A350のエンジンはイギリス・ロールスロイス社のエンジンで、約280トンの機体を2つのエンジンだけでもち上げ、高速で飛ぶことができます

空を飛ぶ仕組みにズーミング！No.2

旅客機はどうして空を飛ぶことができるの？

旅客機には推力・抗力・揚力・重力の4つの力が働いて空を飛ぶことができます

　旅客機が空を飛ぶのには、いろいろな法則や原理が関わってきます。翼についているエンジンが回って、空気を後ろに噴きだすと、旅客機が前に進んで翼に空気が当たります。翼はよく見ると少し上を向いてボディに取りつけられていて、翼の形を横から見ると上は丸くふくらんでいますが、下はまっすぐになっているのがわかります。旅客機が前に進み速度を上げていく（離陸）と翼に空気が当たって上下に分かれますが、上と下で圧力の差が生まれます。このとき翼の上の空気は速く、下の空気は遅く流れます。翼の上の空気の流れが速い（＝気圧が低い）と、翼の下の空気の流れが遅く（＝気圧が高く）なります。気圧は高いほうから低いほうに押し上げる力が働くので、旅客機は浮くのです。

　この力はものすごく強力で、エアバス社のA350-900は最大280トンの重さがありますが、重い旅客機を空へと押し上げる力にもなります。これが揚力です（図1-2）。

旅客機が離陸する際には、エンジンから翼に向けて空気が勢いよく噴きだされます

Zooming

Zooming

翼の形を横から見たところです。上部が丸くふくらんでいるのがわかります

● 図1-2　揚力ってどういうもの？

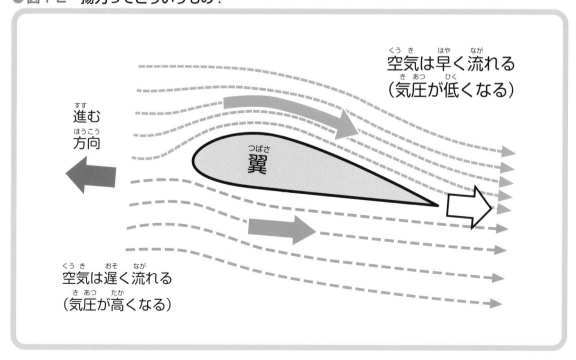

空気は早く流れる
（気圧が低くなる）

進む
方向

翼

空気は遅く流れる
（気圧が高くなる）

●図1-3　旅客機にはたらく4つの力

揚力
（翼を浮かせる力）

推力
（前に進む力）

抗力
（抵抗になる力）

重力
（地球が物を引っぱる力）

— Zooming —

右はボーイング社のB787の翼です。
上のエアバス社のA350とは形や角
度が少し違っているのがわかります

　旅客機が飛ぶには４つの力が必要です。エンジンの力で空気噴射して前に進もうとする力の推力、地球上にある空気の中を速く飛ぼうとすると抵抗する力の抗力、12ページで説明した翼を浮かせる力の揚力、地球が物を引っぱる力の重力の４つです（図1-3）。どのくらい飛ぶ力（揚力）が生まれるかは、旅客機の速度、翼の形や大きさ、角度によって異なります。

　旅客機は離陸上昇して高い高度に行くと今度は水平飛行に移るので、そのときは揚力と重力がつりあうようにエンジンの力を調整すると同じ高さで飛んでいくことができます（水平飛行）。そして目的地に近づくと、エンジンの出力を下げます。そうすると今度は揚力よりも重力の力が強くなり、旅客機は地球に引っぱられて少しづつ高度を下げていきます。そして同時に速度を下げると揚力も減るので同じように高度が下がるのです。

　旅客機が目的地に着陸するまでこの４つの力が働き、この力を調整しながら飛んでいくのです。

旅客機はどうやったら右や左に曲がれるの？

飛行中は空気の力を借りて、エルロンやラダーを操作して曲がります

Zooming

エルロン（補助翼）
翼の外側後ろにある部分がエルロンで、写真では少し下がっている状態になっています

自動車の場合、ハンドルを回せば前輪の向きが変わり、回した方向に曲がることができます（前輪駆動の場合）。では、旅客機はどうやって右や左に曲がるのでしょうか？

実は、飛行中の旅客機は空気の力を借りて向きを変えるのです。たとえば右に曲がりたいときには、パイロットは操縦桿を右に倒します。すると翼の左右端にあるエルロンと呼ばれる小さな補助翼が動き、右エルロンは上向きに、左エルロンは下向きになります。飛行中は風が前からきているので、翼にぶつかった空気の影響で左の翼は上げられ、右の翼は下がるのです。

Zooming（18ページ）へ

16

これで旅客機は右に傾きますが、それだけではゆっくりとしか曲がりません。そこでパイロットは操縦桿を右に倒すと同時に、右足のペダルを踏みます。すると旅客機のいちばん後ろにある垂直尾翼のラダー（方向舵）が右に曲がります。このとき、同じように前からきた風がラダーに当たるので、旅客機の頭は右に向きます。この両方の力によって旅客機は右に翼を傾けて曲がる、すなわち旋回することができるのです。

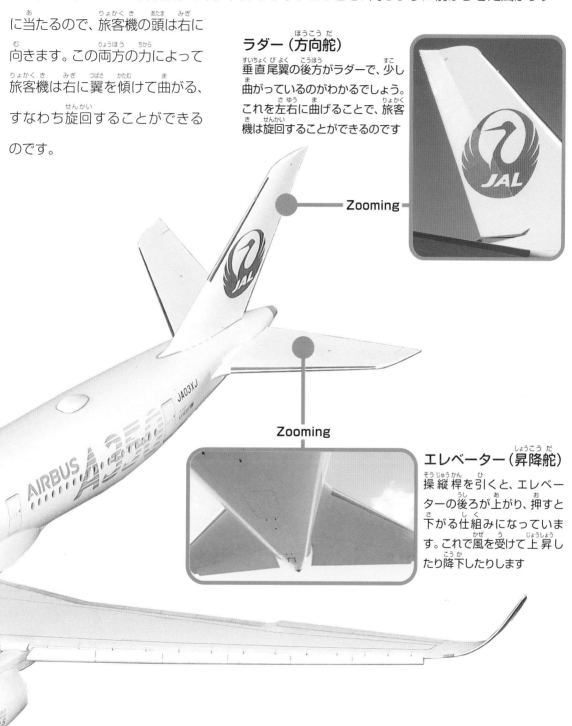

ラダー（方向舵）

垂直尾翼の後方がラダーで、少し曲がっているのがわかるでしょう。これを左右に曲げることで、旅客機は旋回することができるのです

Zooming

Zooming

エレベーター（昇降舵）

操縦桿を引くと、エレベーターの後ろが上がり、押すと下がる仕組みになっています。これで風を受けて上昇したり降下したりします

Zooming

地上を走るときは、ティラーと
呼ばれるハンドルを操作して右
に曲がったり左に曲がったりし
ます。前輪が動く仕組みですが、
地上走行も慣れないとかなり難

しいようです

大きなモニターが並ぶコクピット、左に旅客機で一番偉い機長が座り、右に副操縦士が座ります。操縦は交代で行い、そのための操縦装置やモニターなどがこのコクピットにすべて配置されています

エルロンやラダーと同じくらい重要なのがエレベーターと呼ばれる昇降陀です。水平尾翼の後ろにあるこのエレベーターを上下にコントロールすることにより、旅客機は上昇したり、下降したりすることができます。エルロン、ラダー、エレベーターの動きは安全なフライトのために特に重要なので、旅客機のパイロットは離陸前、空港ターミナルから出発して地上を走行中に、これらが問題なく動くか操縦悍を左右に動かしてチェックします。空港の展望デッキで注意深く見ていると、エルロンやラダーが動く様子を見ることができますので、今度空港に行くことがあったらぜひ観察してみてください。

　なおエルロン、ラダー、エレベーターは飛んでいるとき、すなわち風が前からきているときしか使えないので、地上を走るときはティラーと呼ばれる小さなハンドルを操作して、自動車のように前輪を動かして滑走路まで移動していきます。駐機場や滑走路の手前で停まるときは、ペダル上にあるブレーキを両足で踏むと旅客機は止まるので、両手両足を使って操作します。この基本操作は、大きな旅客機でも、小型のプロペラ機などでも同じです。

旅客機の翼の先が曲がっているのはどうして？

飛行中の空気抵抗を減らして燃費を向上させるためです

エアバス社の最新鋭機A350の翼の端は、斜め上に鋭く伸びています。日本航空（JAL）のA350は赤い色がアクセントとしてつけられているので、白い機体に赤が映えてよりカッコよく見えます。ここはウィングレットと呼ばれますが、メーカーや形状によってはウィングフェンスやシャークレットなどと呼ばれることもあります。

●ウイングフェンス

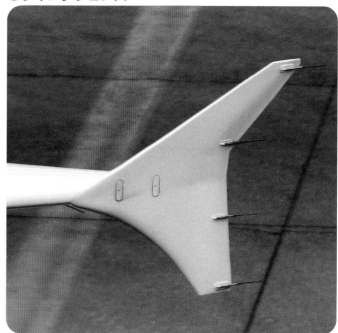

エアバス社のA320シリーズについているウイングフェンス。ウイングレットと同じ役割をしています

●シャークレット

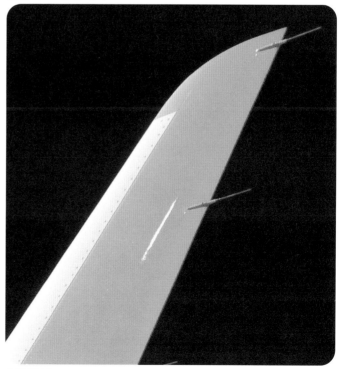

日本航空（JAL）グループのジェットスタージャパンのA320には、シャークレットと呼ばれるウイングレットと同じ効果をだすものがついています

A350の翼の端に取りつけられたウィングレットは燃費の向上に役立つもので、日本航空の機体ではこの部分が赤く塗られています

ウィングレットはなにもカッコいいからつけているのではなく、きちんとした目的があります。いちばんはウィングレットをつけることで空気の抵抗を減らし、燃費を向上させるためです。No.2（12ページ）でも説明しましたが、旅客機が飛ぶときには翼の上と下で気圧が変わり、気圧の高いほう（翼下）から低いほう（翼上）にもち上げる力が発生します。しかし翼の端ではこれまで気圧を隔てていた翼がなくなるため、気圧の高い下面側から気圧の低い上面側に気流が流れ込みます。このときに翼の端を巻き込んで空気が流れるのですが、これは旅客機にとって抵抗、すなわち後ろに引っぱる力となりますので、燃費が悪くなります。しかしウィングレットをつけて翼の先端を上に向けると空気が翼の上に回り込みにくくなり、抵抗が減るので、ウィングレットを装備していない旅客機と比べて燃費が向上し、地球にやさしい機体となるのです（図1-4）。

　ほかにもウィングレットには離陸・着陸の騒音が減る、というデータもあります。なおボーイング社の最新鋭機B787にはウィングレットは装備されていませんが、翼端を後ろに傾けたデザインになっていて**レイクド・ウイングチップ**と呼ばれています。これもまたウイングレットと同じ効果が期待できる、地球にやさしい機構です。

　ひと昔前はウィングレットを装備していない機体ばかりでしたが、最新鋭の旅客機のほとんどはウィングレットやこれと同じの効果があるものを翼端につけるようになっています。

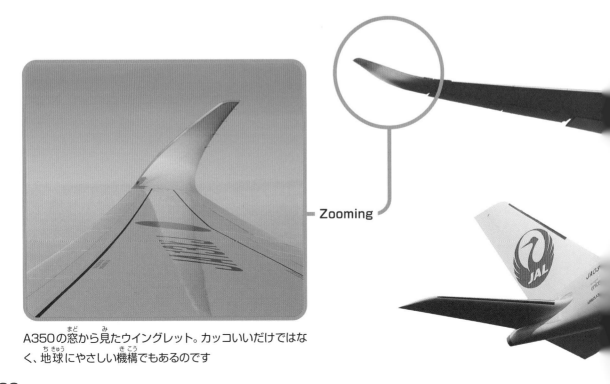

Zooming

A350の窓から見たウイングレット。カッコいいだけではなく、地球にやさしい機構でもあるのです

●図1-4　ウイングレットがついているワケ

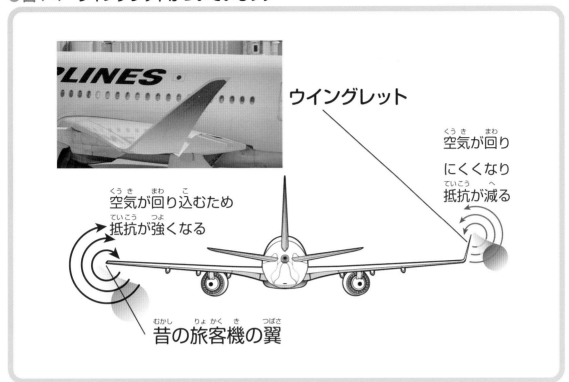

ウイングレット

空気が回り

にくくなり

抵抗が減る

空気が回り込むため

抵抗が強くなる

昔の旅客機の翼

空を飛ぶ仕組みにズーミング！No.5

離陸や着陸するときに翼の一部が激しく動くのはなぜ？

旅客機に働く4つの力をうまくコントロールするためです

　旅客機の翼（主翼）が見える窓際の席で、降下体制に入ったときに窓の外を見ていると、翼の後ろが激しく動き、伸びたようになるのに驚かれた方は少なくないでしょう。この部分がフラップです。

　ジェット旅客機が上空を飛んでいるときは時速800km以上の速度がでていますが、降下する際は徐々に速度を下げ、着陸時の瞬間は時速200〜250kmくらいまで速度が下がります。

フラップ

整備中にフラップをもっとも下げた
状態です。フラップを下げることで
翼の面積が広くなり、着陸に向けて
速度を下げても機体が安定します

Zooming

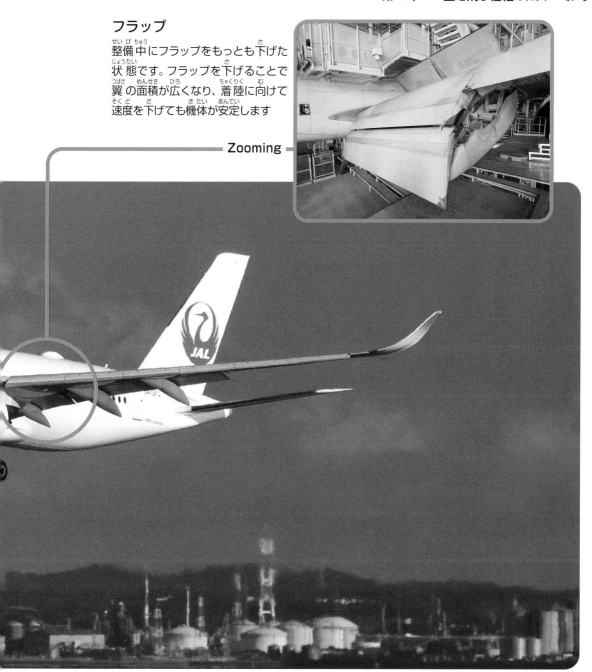

速度を下げると旅客機を持ち上げる力（揚力）が減るので、フラップをだして翼の面積を大きくすることにより揚力を増やすのです。

　扇風機の前に風がくる方向に、水平に手のひらを当てて少し上に手を傾けると、手のひらが持ち上がるような感覚がします。これがフラップをだしている状態に近く、浮く力が生まれるのを体感できます。

前縁フラップ

離陸する旅客機をよく見ると、写真のように翼の前が少し前にでてきます（エンジンをぶら下げている右の部分を見れば差がわかります）。これが前縁フラップです

Zooming

翼の前にも前縁フラップというのがあり、離陸・着陸のときには前縁フラップが少し前に伸びてくるのが見えます。そして離陸上昇すると十分に速度がでている状態になるので、前縁フラップは元の状態に戻されるとともに、離陸のときにだしていた翼後方のフラップも戻されます。

フラップのほかにも翼の端にあるエルロンは、No.3（16ページ）で解説したとおり、左右に曲がるときに動きます。また着陸した直後に翼の上にスポイラーと呼ばれる板がでて、旅客機

Zooming

スポイラー

着陸すると翼の上に横長の板が立ち上がります。これが前からくる風を受けてブレーキの役割を果たしてくれるのです

をすみやかに減速するのに使用されます。このように翼付近は動く部分がたくさんあります。

　翼の動きを見るのは離陸・着陸時の楽しみの1つでもあるので、機会があれば翼の後ろぐらいの席を予約して、じっくりと観察してみてください。

　なお最近の大型旅客機では、コクピットにいるパイロットがフラップやスポイラーを作動させると、それぞれに電気が伝わりモーターや油圧の力で動くようになっていますが、小さなプロペラ機ではケーブルによって動くようになっています。人の力で動かす、ということでは、こうしたプロペラ機のアナログ的な動きを好むパイロットも少なくないようです。

パイロットは自動操縦の間、なにもしていないの？

Zooming

自動操縦の入力・設定や緊急時の対応など たくさんの仕事をこなしています

　旅客機は離陸や着陸のときを除いて、自動操縦（オートパイロット）で飛んでいることがほとんどです。だからといって、パイロットがなにもしていないわけではありません。自動操縦中でもパイロットは、管制官からの無線を聞いて自動操縦システムに指示された高度や速度を入力したり、設定したりします。気象レーダーを見て揺れそうな雲や積乱雲などがあれば、管制官から許可をもらって飛んでいく方向や高さを自動操縦システムに入力・設定して飛んでいく方向や高さの指示をだし、これらを避けて飛ぶようにするのです。またフライト中に急病人が発生したら、近くに降りられる空港はないか？　旅客機が着陸できるだけの滑走路の長さはあるか？ 地上支援車両はあるか？　空港の近くに病院はあるか？　燃料は十分か？　などを考えなければなりません。

このようにパイロットは空の上ではやるべき作業が多いので、自動操縦システムが負担を軽減し、とても役に立ってくれているのです。

自動操縦装置は、速度、高度、方角などさまざまなことを、これらのダイヤルやプッシュ式ボタンを操作して細かく設定することができます

A350のコクピットにはキーボードも備わっていて、これを使って飛ぶために必要なデータを入力することもできます

●図1-5　旅客機を支えるGPS衛星ってなに？

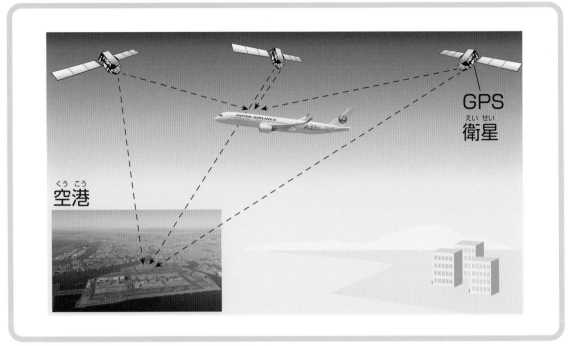

たくさんの乗客を乗せて
羽田空港のＣ滑走路に着
陸するＡ350

　自動操縦をサポートしているのが、地球の周りを回っている複数のGPS衛星です。GPS衛星からの電波を受信することで、旅客機は自機の位置や速度、高さを正確につかむことができます（図1-5）。このためまっ暗な夜間飛行や陸地がまったく見えない広大な海を越えるフライトでも、安心して飛ぶことができます。自動操縦をオンにすれば、出発前にあらかじめ指定したコースを飛んでくれるわけですから、自動車に比べて旅客機の事故が圧倒的に少ないのも納得です。

　ちなみに天気がよい日は、着陸前になるとパイロットは早めに自動操縦をオフにして自分で操縦桿を握り、エンジンの出力をコントロールするスラストレバーを握って、足のペダルで左右の向きをコントロールしながら着陸します。しかし雨や霧で視界がかなり悪い場合は、パイロットは自動操縦に任せつつ、安全確認に専念し、地上60mの高さで滑走路のライトが見えれば着陸、見えなければ安全のため着陸をやり直す、という判断を下すこともあります。

　ちなみに空港に設備が整っていれば、エアバス社のA350などでは自動で着陸することも可能です。自動操縦技術の進歩には本当に驚かされるばかりです。

空を飛ぶための燃料は どこに入っているの？

燃料はおもに翼の下のタンクに入れます

自動車ならガソリンスタンドでガソリンを満タンにすることも多いでしょうが、旅客機では燃料を満タンにすることはあまりありません。特に国内線を飛ぶ旅客機は燃料を満タンにすると重量が余計に増えてしまい、離陸するときに加速も遅くなるばかりか、高い高度に上がるのにも時間がかかってしまいます。通常は目的地までの燃料に加え、上空で待機するための燃料、天気が悪くなった場合に別の空港に向かうための燃料などは積みますが、A350の場合はそれで

Zooming

翼 の下にパイプをつなげ、燃料を給油中。こんな
シーンは展望デッキからも見ることができます

も満タンにはなりません。

　A350で燃料を満タンにすれば、その量は約14万リットルにもなり、東京からアメリカや
ヨーロッパなどに向け、給油をせずに15時間以上も飛ぶことができます。このため片道の飛行
時間が1～3時間くらいの国内線の場合は、天気が悪い場合を除いてあまり多くの燃料を入れ
ることはなく、目的地に着いてから帰りのぶんの燃料を給油することが多いのです。

羽田空港など大きな空港では駐機場の下まで燃料のパイプラインが通っているので、資格をもった作業員がパイプを接続します

　空港の展望デッキで旅客機をよく観察してみてください。旅客機が着陸して駐機場に停まると、燃料会社のトラックが翼の下にやってくるのがわかります。東京の羽田空港の場合、トラックから降りた作業員が地面のフタを空けて片方のパイプを接続したあと、翼の下のパネルを空けて、もう一方のパイプを旅客機に接続します。これが旅客機の燃料給油で、燃料は翼の主翼に入れていくのです。

　その便にどのくらいの燃料を積むかは、運航管理者という国家資格をもった人が、当日の天気、飛ぶ高さ、乗客の人数や貨物の重量を計算し、機長も確認したうえで決めます。なお羽田空港では駐機場の下まで燃料パイプラインが通っていますが、これがない空港や駐機場では、大きなタンクローリーが旅客機の翼の下に停まって給油作業を行います。燃料はおもに翼の主翼に入れますが、胴体の中央や尾部に燃料タンクがある旅客機もあります。

　燃料は、冬の寒い日にストーブに入れて使う灯油と似たものですが、旅客機が飛ぶ高度はマイナス40℃にもなるので、それでも凍らないものが使用されています。

サービサーという車を翼の下に停めて、空港地下のパイプと旅客機をつないで給油作業を行います

A350の翼の下のパネルを開けてホースを接続。燃料の積みすぎはダメなので、決められた量をしっかり給油します

旅客機の鼻のところには
なにが入っているの？

レドーム内には安全な運航に欠かせない
気象レーダーとアンテナが入っています

　旅客機を正面から見て丸い鼻のように見える部分はレドームと呼ばれます。このレドームは、整備点検のとき以外に開けることはありませんが、この中には旅客機の安全なフライトに欠かせない気象レーダーと、着陸のときに滑走路の中心に旅客機をあわせるための電波を受けるアンテナが入っています。

　旅客機は雲の中も飛びますし、雨の日も飛びます。多少の雲や雨は問題ありませんが、これが暴風雨や台風の中ともなると、空気の流れが不安定でものすごく揺れるので、乗客は機内で快適に過ごすことができなくなります。それを避けるための装置が気象レーダーなのです。

Zooming

Zooming

Zooming

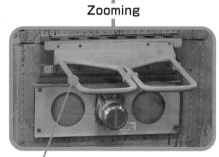

ローカライザーアンテナ

グライドスロープアンテナ

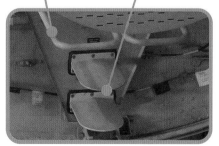

いちばん大きいのがフラットプレートアンテナと呼ばれる気象レーダーのアンテナで、雲や気流の状態をとらえてコクピットに映しだします

その上下には、滑走路からの横のズレを見るためのローカライザーアンテナ（2カ所）と、適切な降下角度を見るためのグライドスロープアンテナが備わっています

37

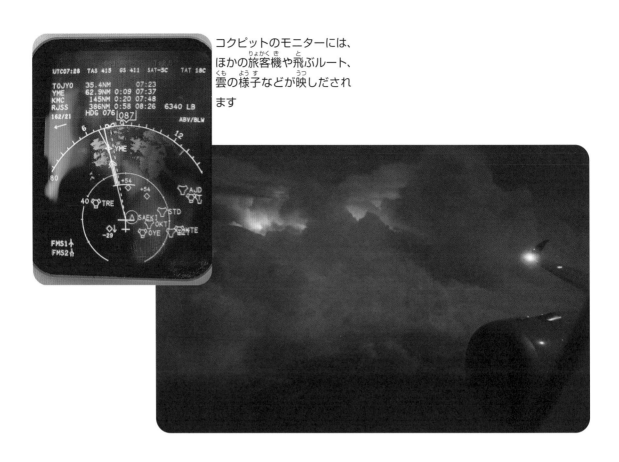

コクピットのモニターには、ほかの旅客機や飛ぶルート、雲の様子などが映しだされます

　パイロットは雷雲や嵐を避けるために、気象レーダーに表示される情報を見ながら飛びます。気象レーダーには雨の量や乱気流などの情報が色で表示されるため、激しく揺れそうだとわかったら、管制官に連絡したあとこれらを避けるためにコースをずれて飛ぶのです。ちなみに旅客機に雷が落ちることもありますが、機体には電気を逃がす仕組みが備わっているため心配する必要はありません。

　アンテナは、旅客機が着陸するときに滑走路の中心にあわせるための装置です。雨や霧、低い雲の日は、目的地の空港の側まできてもなにも見えないことがあります。また夜間飛行のときも街の灯り以外はなにも見えず、海と空の境界線や山と空の境すらわからなくなるのです。このとき、目的地の空港がどこにあるのかパイロットには見えていないこともあります。

　しかし滑走路の横からは着陸する場所を示す電波がでていて、旅客機はレドーム内のアンテナで電波を受信し、滑走路の場所や距離、滑走路の中心はどこにあるのか、正しく降下して着陸するにはどの高さがよいのか、などをコクピットに表示してくれます。これらの情報をもとにパイロットは旅客機の高度を下げてゆき、滑走路が近くなると外を見て、目で滑走路を確認して着陸するのです。

どちらも旅客機から見た空港（上は羽田空港で、下は関西空港）ですが、曇りの日や雨の日は空港がぼんやりとしか見えず、これが夜になるとさらに見えにくくなります。このため旅客機には着陸をサポートするためのアンテナが備えられているのです

　このアンテナは2つ装備されており、万が一、1つが壊れても大丈夫なように設計されています。ただ天候があまりに悪化し、パイロットが近くまできても滑走路が見えない場合は、乗客の安全を考えて着陸を中止し、出発した空港に戻ることもあります。

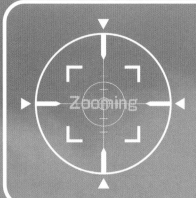

第2章
機体の謎に ズーミング！

Zooming

モニターに映る映像は
どうやって撮っているの？
58ページへ

旅客機の中が
寒くも暑くもないのは
どうして？
54ページへ

機内食はどこに
入れられているの？
46ページへ

JAPAN AIRLINES

空の上でしたウンチや
オシッコはどうするの？
68ページへ

座席の下は
どうなっているの？
42ページへ

たくさんのコンテナの中には
なにが入っているの？

50ページへ

旅客機にライトがたくさん
ついているのはなぜ？

62ページへ

座席の下はどうなっているの？

A350の前方にある国内線ファーストクラスの座席です。この下は貨物室になっていて、乗客の荷物などが入っています

Zooming

貨物室として使われていたり、燃料が入っていたりします

　エアバス社のA350を正面から見ると、やや縦長の楕円形をしているのがわかります。丸や楕円形のジェット旅客機が多いのは第1章のNo.1（8ページ）でも解説したとおり、空気の薄い上空を飛ぶときに乗客が酸素不足に陥らないよう、機内の気圧を調整しやすくするためですが、

●図2-1　座席の下にはなにがあるの？

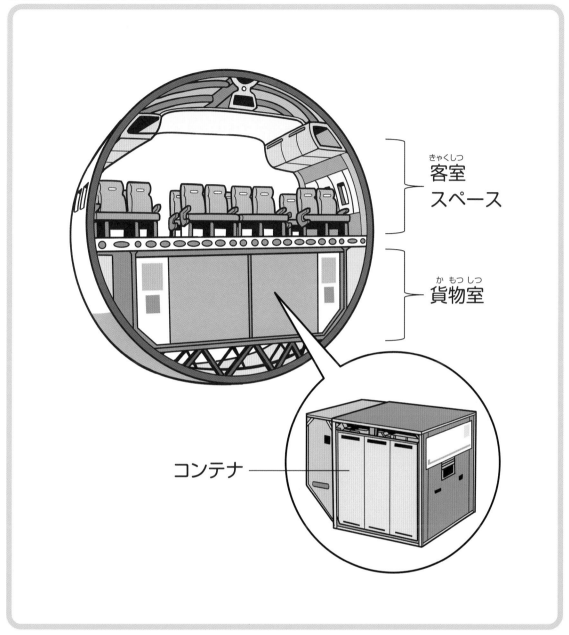

客室
スペース

貨物室

コンテナ

となると座席の下がどうなっているか気にはなりますよね。

　上の図で見るとひと目でわかるとおり、楕円の上半分は客室スペースになっていて、乗客は旅客機の上半分に乗っていることになります。つまり下半分は、なにかで使えるスペースがあるのです。では、いったいここはなにで使われているのでしょうか？

　まずもっとも多くのスペースが割かれているのが貨物室です。エアバスA350は広いので、翼の前と後ろの2カ所の貨物室に、コンテナに入った荷物を収納することができます。

Zooming

機体後部にある貨物室ドア。貨物室にはコンテナに入った荷物が積まれるため、専用の車両でこの高さまで持ち上げられます

　ただ２カ所あるからといって、前だけに多くとか、後ろだけに多くといった収納の仕方はダメです。旅客機は飛行中のバランス、つまり重心がとても重要になってきます。前が重すぎると、離陸のときに旅客機がなかなか持ち上がりませんし、上空で水平に飛ぼうとしても機首（頭）が下がってきてしまいます。着陸のときも旅客機は翼の下にある車輪から地面に着くため頭を引き上げますが、上がりづらくなります。逆に後ろが重いと、離陸のときに頭を上げるとお尻を地面にすってしまいます。水平飛行も常に頭が上がる状態になってしまいとても危険です。このた

Zooming

コンテナを搭載しているところ。小さい飛行機はコンテナを使用せず、人の手で貨物室に荷物を積むこともあります

め荷物が前にも後ろにも重さがかたよらないよう、床下に積む荷物の場所と重量を計算してから積むようになっています。

　貨物室以外にも床下には電気室があり、旅客機を飛ばすための機械が搭載されていたりします。そのほか燃料タンクがあったり、ギャレーがあったり、はては客室から階段を降りていくトイレがあったりと、航空会社や機種によって床下の使われ方はさまざまです。

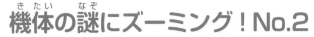

機内食はどこに入れられているの？

ギャレーと呼ばれる機内のキッチンに収納されたカートの中に入っています

　機内食は旅客機で旅することの喜びを感じられるサービスの最たるもので、国内線でも「お飲み物はいかがでしょうか？」と客室乗務員がカートと呼ばれる機内トロリーを動かして客席を巡回し始めるとワクワクしてしまいますよね。国内線の普通席の場合は飲み物くらいですが、

ギャレー

ギャレーは機内前方や中央、後方にあり、飲み物やファーストクラスの食事、国際線ならお酒や豪華な機内食も入っています

国内線のプレミアムエコノミークラスや国際線の場合は機内食も提供されます。距離にもよりますが、日本からアメリカやヨーロッパに飛ぶと、旅客機の中で過ごす時間が半日以上にもなりおなかもすくので、機内食が朝と夕方の2回でることもあります。では、そんな機内食は旅客機のどこに入れられているのでしょうか？

　機会があれば出発前の空港で、旅客機を観察してみてください。時間をかけてじっくり観察す

左の3つは客室乗務員が押して機内をまわる機内トロリーで、右はゴミを圧縮してためることができる機内用のゴミ箱です

機内食を温めるためのオーブンです。これで長距離を飛ぶ旅客機でも、いつでも温かい食事が食べられます

れば、旅客機の進行方法右側に大きなトラックが停まり、旅客機と同じ高さまでトラックの後ろの荷台が上昇するのを見ることができるはずです。これが機内食の積み込み作業で、機内食を作っている会社のスタッフが、機内食や飲み物が入った機内トロリーを旅客機に積み込んでいきます。機内食は羽田空港や成田空港など大きな空港の周りに専用の工場があって、そこで作られたものが運ばれてきます。

日本航空がビーガンの方向けに提供している機内食の一例です。乗客からの事前の申し出に応じて対応できるようにしています（提供：日本航空）

　カートが機内に運び込まれると**ギャレー**と呼ばれる機内のキッチンに機内トロリーが収納され、機内食の数や内容を客室乗務員が確認して出発します。国内線では飲み物くらいですが、国際線で温かい機内食が提供される場合は、ギャレーにあるスチームオーブンで温めてから提供されます。あかちゃん用の温かいミルクや、ホットコーヒーなどを用意するのも、このギャレーです。さらにファーストクラスやビジネスクラスでは、豪華な料理が時間をかけてゆっくりと提供されますし、ワインや世界各国のお酒、おつまみのチーズなどがいつでも提供できるよう準備されています。

　機内食は、特定の食材に対してアレルギーをもつ人や、宗教上の理由で食べられない食材がある人などにも対応する必要があり、乗客からの事前情報を踏まえ、万全の準備を整えます。また大きな空港でないと周りに機内食の工場がないので、地方空港に飛ぶときやアジアの空港で目的地に着いて旅客機がすぐに折り返して飛ぶときは、往復分の機内食を積んでいくこともあります。このため長距離国際線を飛ぶ旅客機のギャレーは、国内線のギャレーと比べ大きく、たくさんカートが入るようになっています。

たくさんのコンテナの中には なにが入っているの？

乗客の荷物をはじめ、郵便物や宅配便など さまざまなものが入っています

　出発前の旅客機を見ていると、エアバスA350やボーイング787など大きな旅客機の横に

コンテナが積まれていくのがわかります。ボーイング737などの小型ジェット機の場合は、コ

ンテナの代わりに人が手作業で荷物を積んでいます。このコンテナの中にはいったいなにが

入っているのでしょうか？

タグ車（トーイングトラクター）と呼ばれる空港専用車両がターミナルビルからコンテナを引っぱって旅客機へと運びます

Zooming

コンテナは旅客機の右側から積み込まれます。中になにが入っているか？　重さは？　など、コンテナは番号で管理されています

　まずは乗客の手荷物です。空港のチェックインカウンターで搭乗手続きをしたあと、旅客機の中には足元のスペースか頭の上の棚に入るサイズの手荷物しか持ちこめないので、大きなスーツケースは預けることになります。スキーやスノーボードの板、ゴルフバッグなども同じです。こうして預けられた荷物がコンテナの中に入れられ、タグ車と呼ばれるコンテナを引っぱる車で旅客機の横に運ばれるのです。なおエアバス社やボーイング社の旅客機は進行方向右側に貨物室の扉があるので、乗客や乗務員は進行方向左側から乗る決まりになっています。

　乗客の荷物以外にも、上の写真の郵便物や宅配便などもコンテナに入れられて運びます。近年ではネット通販の普及により、「ヤマト運輸」や「佐川急便」と書かれたコンテナを多く見かけるようになりました。さらに魚や貝などの海産物、野菜や果物といった生鮮品もこのコンテナで運ばれますし、国際線であれば自動車の部品やパソコン、スマートフォンなども運ばれます。自動車や大型の機械なども積める貨物船や運搬船と違い搭載できる量にはかぎりがありますが、スピーディーに運べるのが旅客機の強みです。

　ちなみに季節にもよりますが、国内線では２割ほどが乗客の荷物、８割ほどが宅配便やほかの荷物であるのに対し、国際線では乗客の荷物が多くなる傾向があり、４割ほどまで比率が高まるのだとか。またさまざまな荷物に柔軟に対応できるよう、胴体後部に小さな荷物室がある旅客機もあります。

A350ではコンテナの量に応じて、最大6個まで一度に運ぶことができます。コンテナは貨物室の形にあわせ、下は片側だけ斜めになっています

Zooming

　A350の場合、荷物は重量とバランスの計算が行われたうえで2カ所の貨物室に積まれます。ドアが確実に閉められたことを確認したら、目的地に向かって出発！　到着するとコンテナが降ろされ、タグ車に引っぱられたコンテナは旅客ターミナルへと運ばれます。そこで乗客は自分の荷物を受け取り、目的地での観光やビジネス、自宅や帰省先などへと向かっていくのです。

旅客機の中が寒くも暑くもないのはどうして？

● 図2-2　飛行中の外と中の気温はどのくらい？

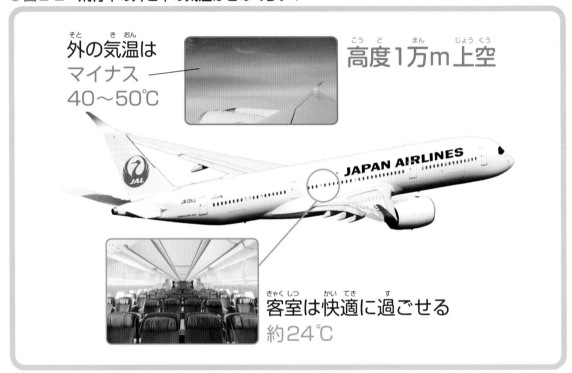

外の気温は
マイナス
40〜50℃

高度1万m上空

客室は快適に過ごせる
約24℃

エンジンで作られた空気と空の空気を利用して快適な温度に調整しているからです

　羽田空港がある東京の平均気温は、1月がもっとも寒くて4.9℃、8月がいちばん暑くて27.5℃（気象庁2022年データ）です。家では、冬は暖房が、夏は冷房が効いていれば快適に過ごすことができますが、旅客機は地上だけでなく、高い空の上を飛びます。地上から10km以上も高い空の上は、夏でもマイナス40〜55℃ととんでもなく寒く、エアコンを動作させるにはかなり厳しい環境です。エアバス社のA350の場合、この中を時速900kmで飛んでいるわけですが、それでも問題なくエアコンは動作し続けています。ここにはなにか秘密があるのでしょうか？

窓の外は寒くても、旅客機の
中はいつでも快適な温度で
保たれています

Zooming

　実は旅客機に搭載されているエアコンは、飛行中に回り続けているエンジンで作られた約450℃の熱い空気を、外のマイナス40〜55℃の空気を利用して、乗客が機内で快適に過ごすことができる24℃くらいの温度に調整するようにできているのです（図2-2）。

　この仕組みは機内での感染症の予防にも活かされています。新型コロナウイルスが流行したとき、客室乗務員から「旅客機の中の空気はキレイです」というアナウンスがあったのを覚えている方はいませんか？　これは、旅客機の中の空気は2〜3分で入れ替わるようになっていて、さらに高性能なフィルターを通った空気が機内に入ってくるためです。電車のように窓を開けて感染対策をする必要はないのです。もっとも旅客機の窓は絶対に開きませんが……。

旅客機の窓から見た富士山。このとき旅客機は、富士山の約3倍の高さを飛行しています

　温度のほか、地上と空の上で大きく異なるものに気圧があります。気圧とはその名のとおり気体の圧力のことで、空気の重さのことと考えてもいいでしょう。高度が増すほど空気は減っていく（薄くなっていく）ため、気圧も下がっていきます。このため機内は与圧をかけ、圧力を高くしているのですが、人の身体にはなんともなくても、ほんの少しだけ影響を受けるお菓子があります。それが子供から大人まで大人気のポテトチップスなどの袋菓子です。

　ひと昔前の旅客機ではポテトチップスを機内に持ち込むと、袋がパンパンにふくらむことがありました。これはポテトチップスの袋の中の圧力のほうが、機内の気圧よりも高いからです（図2-3）。このときの気圧はだいたい標高2000mくらいのもので、これは人が不快に感じない程度のレベルです。ただ袋が破れることはなく、開けずに着陸までもっているとふくらみはなくなり、もとに戻ります。これは高い山に登ったときも同じなので、機会があれば試してみてください。

●図2-3　ポテトチップスの袋がふくらむワケ

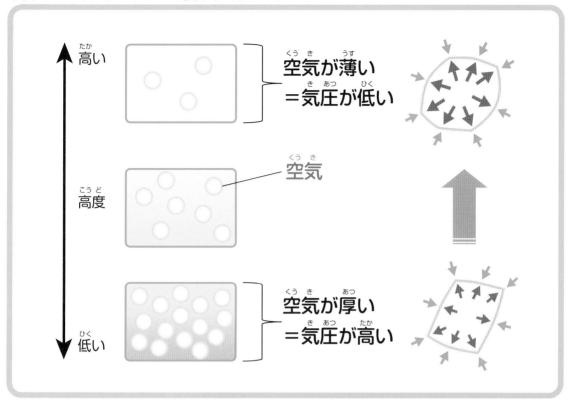

高い

空気が薄い
＝気圧が低い

高度

空気

低い

空気が厚い
＝気圧が高い

上空でふくらんだお菓子の袋。旅客機の中の気圧が地上よりも低いからで、海外製のお菓子の袋では破裂することもまれにあるとか……

　なおエアバス社のA350やボーイング社の787といった最新の機種は、これまでの機種より気圧を上げることができ、上空１万ｍで標高1800ｍくらいにまで調整できるので、パンパンにふくらむことはないようです。

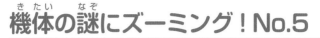

モニターに映る映像はどうやって撮っているの？

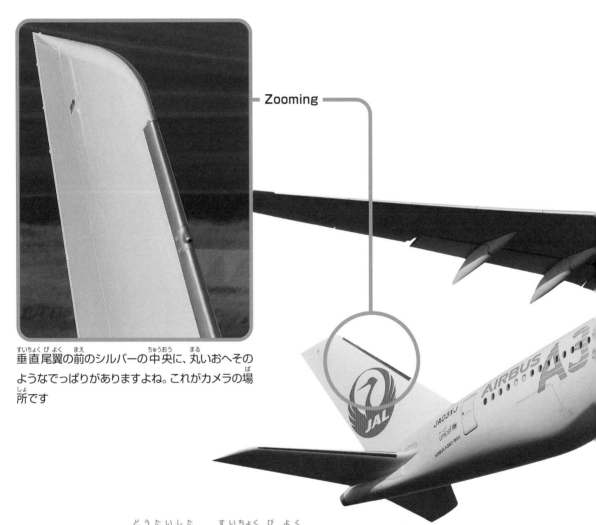

垂直尾翼の前のシルバーの中央に、丸いおへそのようなでっぱりがありますよね。これがカメラの場所です

A350では胴体下と垂直尾翼のカメラが機内のモニターに映像を映しだしています

　エアバス社のA350では、座席前のモニターで旅客機の前方と下の景色を見ることができます。ただ、空の上での楽しみを増やしてくれるこの機能を搭載している機種は少なく、日本航空の場合、以前はボーイング767にも前方を映すカメラが搭載されていましたが、現在はこのA350だけです。ではこのカメラは機体のどこに取りつけられているのでしょうか？

A350ではすべての座席に
モニターがついているので、
乗客はもれなく地図（現在
地）やテレビ、外の景色など
を見ることができます

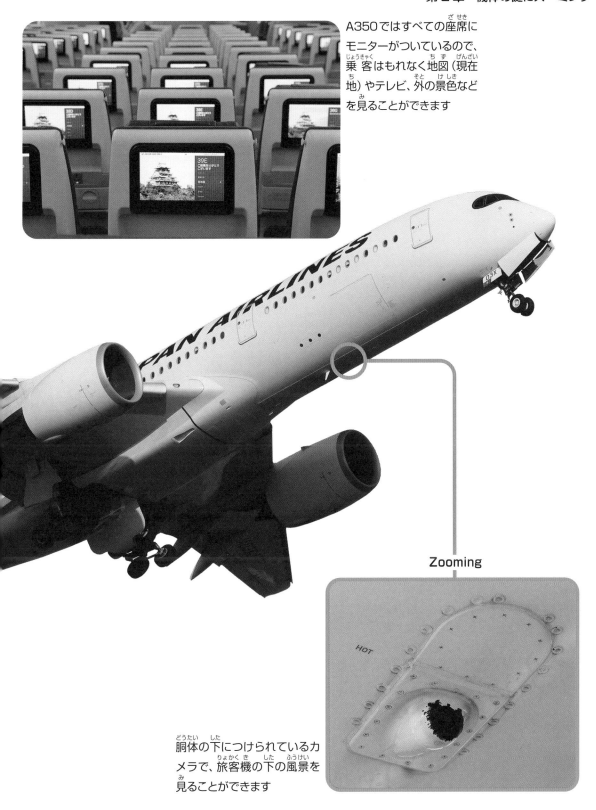

Zooming

胴体の下につけられているカ
メラで、旅客機の下の風景を
見ることができます

カメラは2台あって、1台は胴体の下に取りつけられています。場所は**ノーズギア**と呼ばれる

前方の車輪の後ろで、もう1台は旅客機の後ろ**垂直尾翼**に取りつけられています。

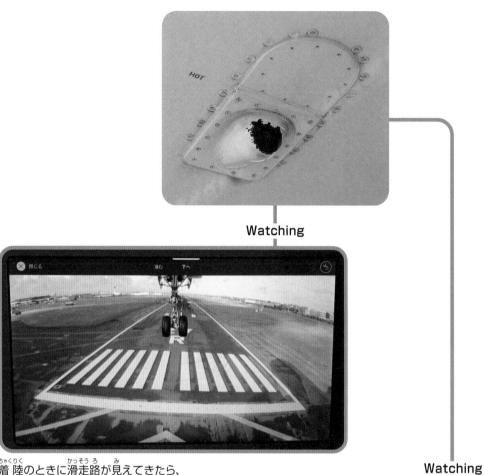

Watching

着陸のときに滑走路が見えてきたら、
まもなく着陸です。パイロットになっ
た気分を体験できます

Watching

離陸後は街や地上の風景が見えま
すが、高い高度に上がると雲や海、
遠い地上も見えてくるので、空を
飛んでいるという実感を味わえます

　離陸するときは、胴体の下のカメラの前にある前輪が機体に収納される様子や、地上をゆっ
くりと離れる様子を見ることができます。このとき、鳥が飛び立つような気分を味わうことがで
きるはずです。垂直尾翼のカメラは、旅客機を上から見下ろすイメージです。この映像では、今、
乗っている機体の左右の翼と胴体が映るので、旅客機の上から大空を飛んでいく様子をリアル
タイムで見ることができます。

Watching

翼の上から自分が乗っている旅客機を見下ろせます。これらのカメラのおかげで、鳥になった気分を味わうことができます

　もちろん雲の中や夜の空の中では、赤い衝突防止灯が光る以外はあまり見えなくなります。ただ着陸時が夜であれば、幻想的にも思える街と空港の灯りに見とれてしまうことでしょう。窓側の席でなくても、このカメラとモニターがあれば存分に外の景色を楽しむことができるのです。なお日本航空のA350の場合、このモニターを使って映画やアニメなどを観たり、音楽を聴いたりすることができます。

　昭和の時代、旅客機の中では本を読み、寝てすごすぐらいしかできませんでしたが、近年ではスマートフォンやパソコンなどを充電できるUSBポートやAC電源（コンセント）、インターネットに接続するためのWi-Fiなども装備され、旅客機の乗客の席がより快適に、より便利になっています。ITと旅客機の進歩には、本当に驚かされるばかりです。

旅客機にライトがたくさんついているのはなぜ？

Zooming

航空灯
旅客機の右側は緑のライトがついています。これは小型の飛行機や
ヘリコプターなど、飛ぶものは全部同じ決まりになっています

地上でも空の上でも、安全なフライトを実現するためにつけられています

　夜の空港で旅客機を眺めていると、赤や白の点滅するライトや、地上を照らすライトなど、さまざまな色のライトがついていて、とてもキレイです。でもこのライトは、ただの飾りではありません。すべてのライトにはそれぞれ目的があり、意味があります。

航空灯

左側には赤いライトがつい
ていて、夜間でもほかの旅客
機が見えたらライトの色で向
かっている方向がわかります

Zooming

左右の翼の端にあるのが航空灯（ナビゲーションライト）で、進行方向左側は赤、右側は緑
と決まっています。夜間に飛んでいてほかの旅客機を見つけた場合、翼の端に赤が見えたら自
機から左に進んでいること、緑が見えたら自機から右に進んでいることが、この航空灯の色で
わかります。これは船も同じで、飛行機の世界は船の世界から持ち込んだ決まり事がたくさん
あるのです。

衝突防止灯

赤く点滅する衝突防止灯。駐機しているときには点きませんが、動き始めるときと、動いているときはかならず点滅します

　旅客機の場合は、胴体の上下につけられた赤い光が定期的に点滅しますが、これは衝突防止灯といって、動いているときはかならず点けなければいけません。このため駐機場に停まっている旅客機が赤くピカピカ光りだしたら、「旅客機がこれから動きます」というサインであることがわかります。

　翼の左右につけられている着陸灯は、色は白で、おもに離陸・着陸の際に前方を照らし、滑走路を見やすくするために使います。前輪のところにある白いライトはタクシーライトと呼ばれるもので、これも地上を走行するときに前方を照らす灯りで、駐機場に入るころにパイロットが消灯します。ほかにも尾翼に描かれた社名マークを照らす白いロゴライトや、天気が悪いときに翼やエンジンの入り口に氷がついていないかを確認するウイングライト（白）、旅客機の尾部を表す尾灯（白）＋ストロボライトなどもあります。

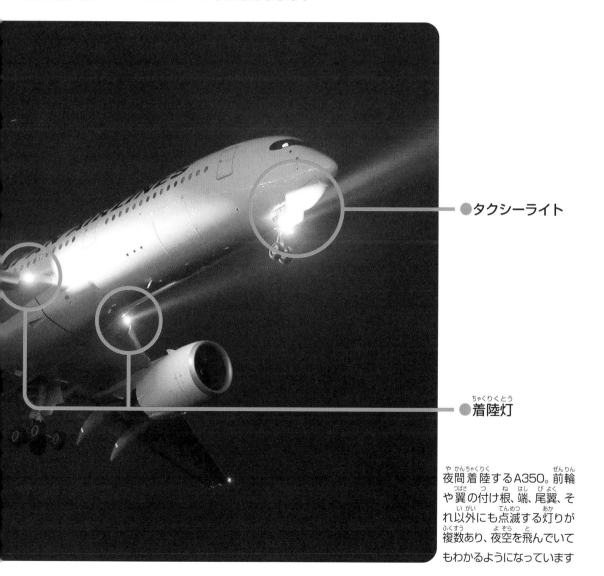

●タクシーライト

●着陸灯

夜間着陸するA350。前輪や翼の付け根、端、尾翼、それ以外にも点滅する灯りが複数あり、夜空を飛んでいてもわかるようになっています

飛行場灯台

日の出から日の入りまでは目で空港が見えるので、飛行場灯台の灯りは消えます。ただし天気が悪く外を見て飛べないくらい視界が悪いと、空港の場所を知らせるために昼間でも灯りがつきます

民間の空港では白と緑のライトが交互に見えるように回ります。台の上にライトがある空港もあれば、建物の上にライトがある空港もあります

空港にもさまざまなライトが取りつけられています。これらは航空灯火と呼ばれていますが、もっとも目立つのは空港の場所を示す飛行場灯台です。これは海の灯台と同じように、空港の側でライトが回るものですが、灯台と違うのは白と緑のライトが交互に回る点です。

ほかにも滑走路の端（行き止まり）を示す赤いライト、滑走路の中心や端を示すライト、滑走

路へ導くための<ruby>進入灯<rt>しんにゅうとう</rt></ruby>やフラッシュのように<ruby>光<rt>ひか</rt></ruby>る<ruby>連続式閃光灯<rt>れんぞくしきせんこうとう</rt></ruby>ライト、<ruby>誘導路<rt>ゆうどうろ</rt></ruby>のライトなど<ruby>約<rt>やく</rt></ruby>20<ruby>種類<rt>しゅるい</rt></ruby>のライトがあり、<ruby>夜間<rt>やかん</rt></ruby>でも、たとえ<ruby>視界<rt>しかい</rt></ruby>が<ruby>悪<rt>わる</rt></ruby>くても、<ruby>旅客機<rt>りょかくき</rt></ruby>が<ruby>安全<rt>あんぜん</rt></ruby>に<ruby>着陸<rt>ちゃくりく</rt></ruby>して<ruby>誘導路<rt>ゆうどうろ</rt></ruby>を<ruby>通<rt>とお</rt></ruby>り<ruby>駐機場<rt>ちゅうきじょう</rt></ruby>まで<ruby>行<rt>い</rt></ruby>けるようになっているのです。

空の上でしたウンチやオシッコはどうするの？

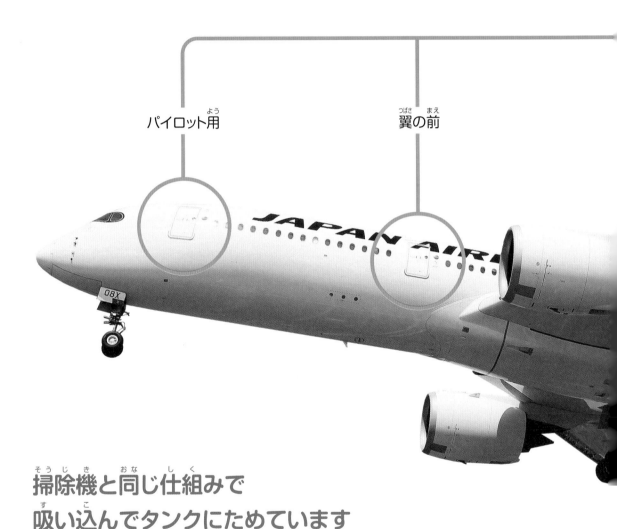

パイロット用

翼の前

掃除機と同じ仕組みで吸い込んでタンクにためています

　旅客機のトイレ（便器）で用をすまし、ボタンを押すと、「シュッゴォッ」という音とともにウンチやオシッコが穴の中に吸い込まれて、一瞬で消えてしまいますよね。ところが水は少ししかでません。家や駅などの地上にあるトイレでは大量の水が流れ、トイレをキレイにしてくれています。でも、旅客機のトイレは地上のものと変わらずキレイです。このトイレにはどういう秘密があるのでしょうか？　そして吸い込まれたウンチやオシッコは、どこに行くのでしょうか？

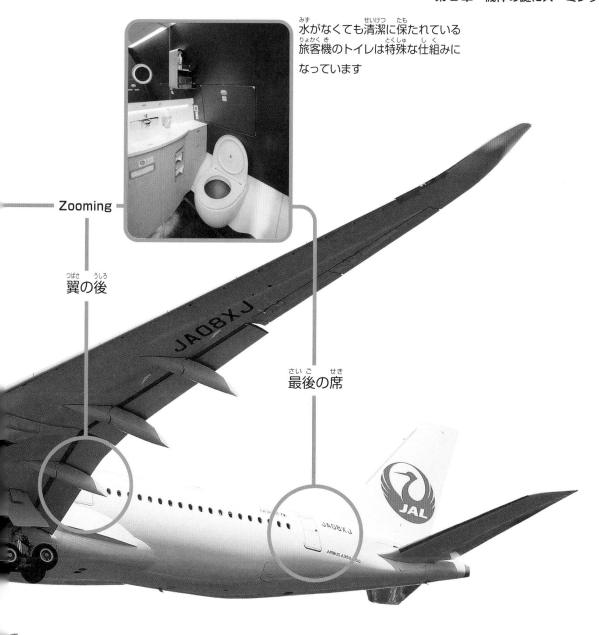

水がなくても清潔に保たれている
旅客機のトイレは特殊な仕組みに
なっています

Zooming

翼の後

最後の席

まさか空の上で放出しているのでしょうか？

　まず水が少ないのは、旅客機はなるべく重量を軽くして飛びたい、という理由があるからです。このため水を多く積むことはしません。代わりに水をほとんど使わなくてよい旅客機の外と中の気圧差（旅客機の中は空気が濃くて外は薄い）を利用した強力なバキューム機能が用意されています。この機能を利用してウンチやオシッコを吸い込んで、機内のタンクにためておくのです。ゴミを吸い込んでためる、掃除機と同じような仕組みですね。

●図2-4　ウンチやオシッコはどこにためてるの？

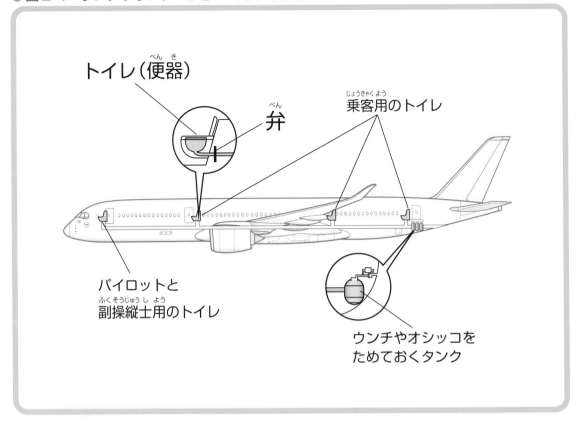

　ウンチやオシッコをためておくタンクは、旅客機の胴体下の後方にあります（図2-4）。タンクのフタはウンチやオシッコが通るときだけ開くようになっていて、それ以外は閉じています。これは臭いが旅客機の中に入らないようにするためです。またトイレは薬品が流れて洗浄され、飛んでいる間は客室乗務員が何度もチェックし、キレイに掃除してくれています。これにより旅客機のトイレは、常に清潔な状態が保たれているのです。もちろん、空の上でウンチやオシッコが放出されることはありませんから、安心してください。

　国際線を飛ぶ旅客機の場合、トイレのタンクも大きく、朝、羽田空港を出発して、大阪や福岡、新千歳（札幌）、那覇など日本各地を飛んで、夜に空港に戻るまでタンクがいっぱいにならずにすむくらいの容量があります。そして到着した夜の空港で、旅客機の後部にトイレの汚物を抜き取る専用の車が取りつけられ、旅客機のタンクからウンチやオシッコがバキュームカーに移されるのです。

　なお旅客機のトイレは日本のメーカーが製造していることが多く、日本のすぐれた超節水技術が世界のさまざまな航空会社の旅客機で使われています。

Zooming

旅客機の後ろにトイレの
タンクがあるので、ラバ
トリー車という車を接続
してホースで汚物を抜き
取ります（写真はボーイ
ング社の737-800）

エンジンが
回っていない機内で
電気がついているのはなぜ？

86ページへ

旅客機に自動車のような
ナンバープレートってあるの？

78ページへ

旅客機が到着するとなぜ
多くの車が集まってくるの？

90ページへ

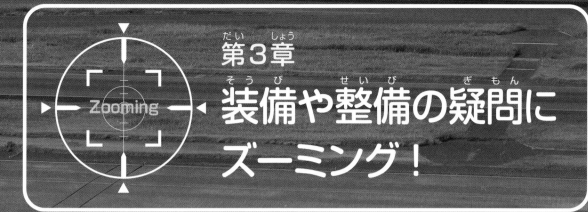

だい しょう
第3章

そう び せい び ぎ もん
装備や整備の疑問に
ズーミング！

Zooming

りょかくき よご
旅客機が汚れたら
どうやってキレイにするの？
82ページへ

りょかくき
旅客機のタイヤは
じどうしゃ
自動車のタイヤと
ちが
どう違うの？
74ページへ

旅客機のタイヤは自動車のタイヤとどう違うの？

旅客機の重さや激しい消耗、高温&低温に耐えられる特別なタイヤが使われています

空港で駐機中の旅客機をよく見ると、タイヤがたくさんついているのがわかります。たとえば国内線で使われるエアバス社のA350-900では、機体前方に2本、胴体左右に4本づつ、計10本のタイヤがついていますし、長距離国際線で使われるA350-1000になると胴体の長さがさらに長くなるので胴体のタイヤが各2本ずつ増え、計14本のタイヤがついています。このタイヤで旅客機はもちろんのこと、手荷物やその他の荷物、燃料、そして乗客と乗務員の命を支えているのです。

旅客機が着陸するとき、止まっているタイヤは地面に着いた瞬間に時速200km/h以上で

旅客機は小型でも大型でも、2本の前輪で旅客機を支えています。日本航空の旅客機はすべて前輪が2本です

Zooming

Zooming

国内線を飛ぶA350-900のタイヤは日本製も使用されており、後輪8本のタイヤは胴体のほとんどの重さを支えています

回りだします。離陸のときにはさらに高速な時速約300km/hで旅客機を支えているのです。A350-900の場合は約280トンもの重量になり、それを10本のタイヤで支えるわけですから、自動車やバス、トラックなどで使われているタイヤよりはるかに高性能なタイヤが必要になります。バスやトラックの重量も相当なものですが、A350-900は10トントラックの約28倍ですから、比較にならないほどの重量を支えなければならないのがおわかりいただけることでしょう。

　旅客機のタイヤの数が多いのには、別の理由もあります。タイヤの数を少なくすると、タイヤ1本あたりにかかる重量が増え、待機時の駐機場や着陸時の滑走路に、より負担をかけることになります。これを避けるためにも大型の旅客機には、10本以上のタイヤがついているのです。

　ちなみに旅客機のタイヤは縦や斜めに溝が入っている自動車のタイヤと違って、縦の溝しか入っていません。自動車のタイヤは自分の動力で回転していますが、旅客機はタイヤが駆動（タイヤの力で動かす）するわけではなくエンジンの力で動きただ回るだけでよいのと、急カーブを曲がることもなくまっすぐ走ることが多いことも、縦の溝しか入っていない理由です。さらに滑走路をよく見ると地面には横に溝が掘られていて、雨水は横に流れるようになっています。この理由は、自動車は走りながらタイヤに当たる雨水を溝で横に排水するのに対し、旅客機にはその必要がないからです。

　タイヤは空に上がってしまうと必要がないものになるので、軽くて場所をあまりとらないことも求められます。また真夏の着陸時には摩擦熱による激しい消耗と高温、上空ではマイナス40℃以下になる気温の両方に耐えることができる性能が必要です。これらのことを踏まえ、必要な本数やタイヤの大きさ、性能などが決められるのです。

Zooming

比較

自動車のタイヤは縦や斜めの溝があり、水はけをよくしています

自動車のタイヤと違い、旅客機のタイヤは溝が縦しかありません。またブレーキも強力なものが取りつけられています

　タイヤは200〜300回着陸したら交換されますが、タイヤを丸ごと交換するのではなく、着陸によってすり減ったタイヤの表面を張り替えたあと、それを再使用します。張り替えは5〜6回行われ、パンクすることはほぼありません。ちなみにA350-900のタイヤには、日本のタイヤメーカーであるブリヂストン製のものも使われています。

装備や整備の疑問にズーミング！No2

旅客機に自動車のようなナンバープレートってあるの？

旅客機1機ごとに機体記号がつけられています

　自動車には地名や区分、番号などが書かれたナンバープレートが1台ごとに、鉄道車両には「モハE-231-6」というような車両番号が1両ごとについています。旅客機の場合も同じで、1機体ごとに機体記号と呼ばれる固有の記号がついています。ただナンバープレートや車両番号と違うのは、機体記号は国籍記号＋登録記号の組み合わせという世界標準のルールにしたがったものである、ということです。

機体記号

翼の下にも番号が書かれていますが、これは左側だけで、右側は翼の上に書かれています

Zooming

　機体記号は、日本の場合はJAPANを意味する「JA」から始まる機体記号が胴体の後部などに書かれています。上の写真の「JA08XJ」が機体記号です。この機体記号はほかにも、右の翼の上、左の翼の下など、日本の航空法という法律で定められた場所に書かれています。

　以前、ジェット機はJA8000番台、エンジン1つのプロペラ機はJA3000番台、レシプロエンジンヘリコプターはJA7000番台などと決められていましたが、今では自動車のナンバーと同じように希望番号制になっていて、旅客機を所有する会社や運航する会社が、同じものが登録されていなければ4桁の記号を自由に選ぶことができるようになりました。

機体記号JA03XJは日本航空の
エアバスA350の3号機です。
その下にユニセフのマークと、型
式が表示されています

　機体記号をもう少しくわしく見ていきましょう。JAは79ページで説明したとおりですが、

この機体は日本航空所有のものなので、そのあとの記号は日本航空のルールで決められていま

す。「03」はA350の3号機という意味で、A350は機内が広く「エクストラ・ワイドボディ」

という名前で開発されていたので、エクストラの「X」が続いてつけられました。最後の「J」は、

日本航空（JAPAN　AIRLINES）のJの意味です。また日本航空の場合、ボーイング737型機

は737の3をとって「JA301J」、787の場合は8をとって「JA841J」とするなど、スタッフ

Zooming

前輪を格納する扉には3桁の番号が書かれ、同じ型でも違いがわかるようになっています

は機体記号を見て型式がすぐわかるようになっています。機体記号は旅客機の前輪カバーにも書かれていますので、整備士は自分が整備する機体がこれで間違いがないかを、胴体の機体記号をわざわざ見にいかなくてすむというメリットがあります。

　なお機体記号は日本で一度登録したら所有者が変わっても変更することはできません。社内ルールを変えたため機体記号も変えたい、という申請は認められないのです。機体番号は海外の航空会社に売り渡された場合は、その国の番号に変更されます。

旅客機が汚れたら どうやってキレイにするの？

90日ぐらいに一度、専用の場所で 10人ほどのスタッフが手作業で洗っています

旅客機の機体塗装は航空会社によって異なります。日本航空では、まっ白なボディに「JAPAN AIRLINES」の社名が記され、尾翼には鶴丸のロゴが描かれているわけですが、旅客機は雨の日も風の日も空を飛び続けるわけですから、汚れが目立ってきてもおかしくありません。ところがいつ見ても、旅客機のボディはピカピカに輝いています。空港で旅客機を洗っているところを見ることはないのに、これはなぜでしょうか？

実は、国内線の場合は夜間に旅客機を洗う作業を行うことが多く、それも羽田空港なら整備

地区にある専用の場所に移動させて洗うため、一般には見ることができないのです。期間は90日ぐらいに一度くらいで、すべて手作業で行われます。

昼間は飛んでいる旅客機も、夜になると駐機場でお休み。ターミナルから離れた場所では、手洗いで旅客機が洗われていきます

Zooming

翼の上にも届く特殊な車に乗ってブラシでボディを洗うスタッフ。高いところの作業なのでヘルメットを着用しています

　慣れたスタッフが10人くらいで、消防士が使うような強力なホースを使って水をかけ、ていねいに洗浄していくのです。尾翼や胴体上部などは高所作業車を使って水をまき、洗剤をつけて長いモップで洗います。旅客機にはアンテナなど細かい部品がたくさんついており、機械だとこうした部品を壊してしまうおそれがあります。このため人の手で、アンテナを折らないように、窓に傷がつかないように、慎重に作業が進められていくのです。これにかかる時間は、A350の場合だと2〜3時間だそうです。

　では、ここで質問です。国内線と国際線では、どちらの機体が汚れやすいでしょうか？　答えは、国内線のほうです。どちらかといえば夜間に空を飛んでいることが多い国際線より、駐機場で休んでいることが多い国内線のほうが汚れるようです。屋根なしの屋外駐車場に長く停めて

Zooming

高所作業車に乗ってボディ上部を洗浄しているところ。遠くまで届くブラシを使っての作業です

Zooming

旅客機の上から下まで10人ほどのスタッフが総出で作業を行います。フードをかぶっている人がいるのは、水をかぶらないようにするためです

ある自動車が次第に汚れが目立つようになるのと同じ理由ですね。

　汚れにもさまざまなものがあり、季節によっても変わります。春先に中国から飛んできた機体には黄砂がついていることが多いですし、夏場は自動車と同じように虫がコクピット（自動車の場合はフロントガラス）付近についています。冬に北海道や東北地方からくる便では、翼全体に防徐雪氷液という雪が付着しにくい液がまかれているため、それが汚れになります。

　それでも、いつもキレイな旅客機に乗ることができるのは、深夜に旅客機を洗い、磨いてくれる専門のスタッフがいるからで、日本航空の機体の場合、常に白いボディに赤い鶴丸が映えて見えるのです。

エンジンが回っていない機内で電気がついているのはなぜ？

地上電源や電源車と旅客機を接続して電気を供給する仕組みがあるからです

搭乗橋を渡って旅客機の機内に足を一歩踏み入れると、客室乗務員が明るい笑顔で出迎え、機内へと案内してくれます。機内は電気がつき、音楽が流れ、暑い時期なら冷房が、寒い時期なら暖房が効いていて、常に快適です。でも、よく考えてみれば、旅客機のエンジンは回っていませんよね。自動車もエンジンを回さないと、冷房・暖房を効かせることはできません。旅客機が停まっているときの電気は、いったいどこからきているのでしょうか？

APU

旅客機のいちばん後ろについているのがAPUです。小さなエンジンで、排気口がお尻の部分にあります

Zooming

メインエンジンをスタートする前に、機内の電気を確保するためにこのAPUを使用します

　実はほどんどの旅客機には、空を飛ぶためのエンジンのほかに、胴体のいちばん後ろの部分にAPU（エーピーユー）と呼ばれる補助エンジンが用意されています。そして地上ではこのAPUを動かすことで、電気を供給することができるのです。ただ現在では、地球にやさしいエコロジーであるべきとの考えから、このAPUを使用するよりも、停まっているときは地上電源を取りつけて電気を供給するようにしています。

　旅客機が着陸して駐機場に入り、決められた場所に停まると、地上スタッフが旅客機の胴体下のパネルを開けます。地上スタッフが地面から伸びる電源ケーブルを旅客機に接続したあと、パイロットはその接続を確認し、補助エンジンを停めます。こうすることでエンジンを停止した状態でも機内に電気が供給されるため、機内が暗くならずにすむのです。

　エアコンも同様に、地面から空気が供給されます。胴体の中央下に太いエアコンホース（管）をつなぐと、ターミナル内で作られた冷房または暖房の空気が旅客機の空調とつながり、機内に供給され、快適な温度となります。このときエンジンは回っていないので、音も静かです。

　羽田空港のターミナル前は電源が地下に用意され、ほとんどの駐機場で電源に接続できますが、整備場など地上電源がないところでは電気を供給できる車の電源車が用意されます。この車をつなぐことによって、エンジンをスタートしなくても旅客機の機内に電気が供給できるのです。

　旅客機を整備している間や、整備地区での機内清掃のときでも、電気をなるべく使わず、音も静かにするような気づかいがされている現在の旅客機と空港の設備は、地球にやさしいエコロジーなシステムであるといえるでしょう。

旅客機が駐機場に停止すると、胴体下にあるパネルを開けて大きなダクトパイプを接続します。この中には空港で作られたエアコンの空気が入っています

機体前方にあるパネルを開けて、地下から伸びる電源ケーブルを機体に接続します。これで旅客機のエンジンが止まっても電気が使えます

Zooming

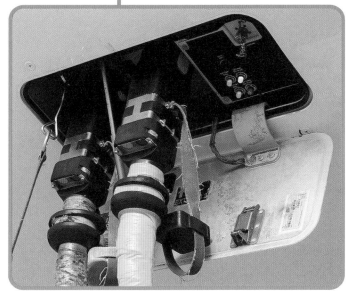

多少の雨でも大丈夫なように、太いケーブルがつながれます。これで排気ガスも減り、エコになります

89

旅客機が到着するとなぜ多くの車が集まってくるの？

乗客やその荷物を降ろして運んだり、次のフライトに必要な燃料や水などを運び込むためです

　駐機場では、旅客機の周りにたくさんの車（車両）が集まり、多くの人がさまざまな作業を行っています。その様子は見ているだけでワクワクするものですが、車の種類がわかればそのワクワクが倍増しますよね。では、どんな車がどんな作業をしているか、ある便での到着から出発するまでの作業を順番に見ていきましょう。

Zooming

車だけではなく、旅客機とターミナルビルをつなぐ搭乗橋も空港独自の施設です。A350には左前２カ所につけることができます

　羽田空港の駐機場に、福岡空港から約370人の乗客を乗せた日本航空のA350が到着しました。滑走路に着陸し、駐機場へ到着するまでは約10分ほど。すぐに地上電源が取りつけられてエンジンが停止し、車輪には車止めがはめられます。旅客機の右側には第２章51ページで説明したとおり、乗客が預けた荷物を降ろすために貨物ドアが開き、ハイリフトローダーが取りつけられコンテナが降ろされました。同時に旅客機の前方左側には搭乗橋がつけられ、満席となっていた機内から乗客が続々と降りていきます。

コンテナは旅客機のボディの丸い形を考えて、外側の下に
斜めの部分がくるように並べて積み込みます

Zooming

コンテナの後ろには別のトラック、その向こうにはエンジンがあるので、
このかぎられたスペースのなかで慎重に作業が進められます

機内食を積んだトラックは旅客機と同じ高さまで荷台が上がる特殊車両です。
これで機内食が入ったカートを右のドアから積み込めます

　コンテナが降ろされると、コンテナを運ぶタグ車がやってきて、コンテナを次々に羽田空港のターミナルへ運んでいきました。右の翼の下では給油準備が開始され、乗客が全員降りたのを確認したあと、給油が始まります。乗客と入れ替えに機内には、掃除をするスタッフが乗り込んでいきます。この機体は約１時間後に、今度は福岡空港行きになるのです。車に乗ってやってきたスタッフも、整備員も、清掃のスタッフも、みな大忙しです。

　その近くの機体では、朝いちばんでトイレの手洗いなどに使う水を旅客機に給水するための給水車がやってきていました。旅客機の後部にホースを接続し、給水を行っていたのです。最終便なら、トイレのタンクにためたウンチやオシッコを回収するためのラバトリーサービスカーもやってきます。

　荷物が全部降ろされて少したつと、今度は福岡空港行きの荷物の積み込みが始まりました。飲み物やファーストクラスの乗客にだす食事を積んだケータリングカーも旅客機の右側に接続しました。給油と機内食は、出発の約20分前には積み込みが完了。機内の掃除も終わったようです。

出発が近くなると旅客機を押しだすトーイングカーが前輪に接続されます。そしてすべてのドアが閉まると出発です

　これで福岡空港行きのA350に、乗客が乗ってもらう準備がすべて整いました。空港スタッフや客室乗務員の案内のもと、乗客がすべて乗り込むと、旅客機の正面には機体を押しだすトーイングカーが取りつけられます。そして定刻になるとドアが閉められ、A350はトーイングカーによって誘導路へと押しだされ、滑走路に向かい、福岡空港へと旅立っていきました。

　このように旅客機が到着と出発を繰り返す間、多くのスタッフが、多くの車とともにひっきりなしに働いています。快適かつ安全・安心な空の旅は、多くの人の手とさまざまな空港の設備によって支えられているのです。

A350-900が目的地に向かって旅立ちました。今日も、そして明日からも、北は北海道から南は沖縄まで、大勢の乗客と荷物を運び、日本各地をつないでいくのです

【著・写真】

チャーリィ古庄

1972年、東京生まれ。世界でもっとも多くの航空会社に搭乗した「ギネス世界記録」をもつ、旅客機専門の航空写真家。おもに国内外の航空会社、空港などの広報宣伝写真撮影、航空雑誌の撮影、カメラメーカー主催の航空写真セミナーの講師などを行う。『ツウになる！世界の政府専用機』（秀和システム）や『写真集 Treasured Airport』『世界エアライン地図帳』（イカロス出版）など、旅客機関連の著書・写真集多数。

【協力】

日本航空（JAL）
JALエンジニアリング

【イラスト】

箭内祐士

ズーミング！旅客機

発行日	2024年 1月24日	第1版第1刷

著　者　チャーリィ古庄
協　力　日本航空（JAL）

発行者　斉藤　和邦
発行所　株式会社　秀和システム
　　　　〒135-0016
　　　　東京都江東区東陽2-4-2　新宮ビル2F
　　　　Tel 03-6264-3105（販売）Fax 03-6264-3094
印刷所　株式会社シナノ　　　　　　　Printed in Japan

ISBN978-4-7980-7132-9 C0050